열도列島의 등뼈

이 도서의 국립중앙도서관 출판시도서목록(CIP)은 e-CIP 홈페이지
(http://www.nl.go.kr/ecip)에서 이용하실 수 있습니다.
(CIP 제어번호 : CIP2019022793)

열도의 등뼈

2019년 6월 12일 초판 1쇄 인쇄
2019년 6월 24일 초판 1쇄 발행

지은이 | 이달균
펴낸이 | 孫貞順
펴낸곳 | 도서출판 작가
     (03756) 서울 서대문구 북아현로6길 50
     전화 | 02)365-8111~2 팩스 | 02)365-8110
     이메일 | morebook@naver.com
     홈페이지 | www.morebook.co.kr
     등록번호 | 제13-630호(2000. 2. 9.)

편집 | 손희, 설재원
디자인 | 오경은
영업 | 박영민
관리 | 이용승

ISBN 978-89-94815-96-1 03810

잘못된 책은 구입하신 서점에서 바꾸어 드립니다.

값 10,000원

열도列島의 등뼈

이달균 시집

작가

벗 따라 탑 구경 다닌다.
절 뿐만 아니라 마을마저 사라진 곳에
홀로 선 탑도 있다.

천년을 버텨온 탑도 잊혀지는데
詩集인들 오죽할까.

그래,
늪에서 숲을 찾아도 좋고
숲에서 늪을 찾아도 좋다.

2019년 초여름
마산 눌재서실訥齋書室에서

차 례

시인의 말

1부

2부

4 부

5부

1부

고흐

― 자화상

그날은 늘 보던 태양이 아니었다
환청인 듯 들려오는 집시들의 광시곡
조용히
귀를 잘랐다
하늘이 흔들렸다

밀밭엔 까마귀와 불타는 측백나무
캔버스엔 흩뿌려진 물감이며 핏자국
가만히
나를 앉혀놓고
자화상을 그렸다

석등과 귀뚜라미

가만히 들여다보니 돌에도 나이테가 있다

귀대고 들어보니 심장의 울림도 있다

선 채로 예불소리에 가지런히 손을 모은다

그 어깨 빌려 앉은 귀뚜라미 한 마리

절간에 왔다고 스님 독경 소리 따라

나직이

반야바라밀

읊조리다 목이 쉰다

낮꿈

더 오래 어둡고 흥건한 잠이었어. 수초는 부드러웠고 냄새는 향그러웠어. 조금씩 젖어들면서 목울대가 잠겨왔어.

녹슨 금관이던가 떨리는 현이었던가. 이윽고 몽롱한 낮꿈에서 깨어난 순간, 홀연히 시간의 꼬리가 달아난 순간이었어.

처음 네 몸속으로 깊숙이 들어가 본, 그 밤 따뜻했던 물관부를 떠올렸지. 이불을 더 위로 올려 깊은 숨을 쉬었지.

쇄골을 드러낸 채 낮은 문을 열었어. 까마득 존재마저 잊었던 사람에게 무작정 주소불명의 편질 쓰고 싶었어.

설레고 고단한 잠, 길 잃은 한낮의 꿈. 긴 늪 혹은 숲길, 홀로 된 타인이었다가 표백된 자작나무처럼 아득히 서 있었지.

잊혀 진 우물

짐승도 산그늘도 다녀간 흔적 없는

외로운 북향의 우물이 있습니다

간간이 치열 어긋난 빗방울들만 찾아옵니다

하늘이 적막하면 별에도 녹이 습니다

곤궁한 못 자국처럼 부러지는 바람들

메마른 상상력의 샘을 가만히 바라봅니다.

별신굿과 수평선

거친 아우성은 수평선에 닿는다

낙엽과 빗방울, 포말을 잠재우고

고요히 경계를 지어 오늘을 마감한다

저무는 하루가 애닲지 않다면

생의 종점에서 또 한 생이 시작된 것

황혼의 바다에 꽂은 깃발들을 거두어라

꽃 지고 섬 지는 길, 꽃상여 떠나간다

사위는 차츰 어둠, 춤사위도 사윈다

어둠은 삶과 죽음의 경계마저 지운다

유품

유품은 더 이상 죽은 자의 것이 아니다
길바닥에 버려진 흙 묻은 개의 주검처럼
한 컬레 낡은 구두로 생애를 정의한다

떠도는 말씀은 여우비에 씻겨 가리라
아무도 마지막 종을 울리지 않았지만
여운이 사라지기도 전 싸늘히 잊혀 진다

하지만 깊은 밤 촉 낮은 불을 밝히고
가슴으로 써내려간 한 권의 일기장
이보다 품격을 더한 유품이 어디 있으랴

남긴 것도 뿌린 것도 초라한 이름이지만
그는 청천하늘의 뇌성벽력을 가졌고
애잔한 파도소리도 함께 가진 사람이었다

감사기도

최후의 만찬인 양 저녁밥을 먹겠습니다

이 노을이 종말인 양 창가에 서겠습니다

내게 온 단 한 번의 시간이 너무나 거룩합니다

천천히 걸어가라고 내리는 안개비도

떠올리고 싶지 않은 그 지독한 편두통도

한 평생 지워지지 않을 주홍글씨도 감사합니다

봄의 화원

자라는 건 발톱과
머리칼이 전부입니다
이것들은 남몰래
죽어서도 자랍니다
죽음이
끝이 아님을
일러주는 것일까요?

쓰레기통에 기대어
봄이 졸고 있군요
잠이 깊어지면
플라스틱에도 꽃이 필까요?
박제된
몇 마리 새의
눈물이 영롱합니다

평균율

비를 뿌리고도 하늘은 그대로다

비에 얻어맞고도 바다는 그대로다

태풍이 몰아친 날의 무게는 얼마인가

전조등의 넓이만큼 낮을 늘여 보아도

두터운 밤의 폭은 줄어들지 않는다

구름이 내려앉아도 저울은 늘 수평이다

아라가야

그렇게 가야는 죽어 무덤이 되었다

발목 아래 강을 불러 왕조를 역설하고

지순한 굽다리접시로 기나긴 잠을 깨운다

봉분은 밭이 되어 멧돼지에 짓밟힌다

녹슨 날을 설워마라 어차피 푸른 태양도

일몰의 그늘 아래서 초라해 지지 않던가

장렬한 최후는 호사가들의 언술일 뿐

황동빛 투구 갑옷에 창을 든 기마전사도

허무는 마갑총馬甲塚에서 흙이 되어 가는 것을

크레인의 눈물

놀빛 크레인이 운다 황혼녘의 조선소
공원에서 날아온 불임의 비둘기들
허약한 강철의 눈물에
부리를 적신다

도크를 떠돌던 낮술에 취한 개는
빈 술병 쓰러뜨리고 어디론가 사라진다
누군가 벗어두고 간
작업모와 신발 한 짝

사과

우린 그녀를
꽃뱀이라 불렀다.
이리 와, 향기를 줄게
원죄의 혓바닥
위험해,
경계를 넘지 마!
오, 붉은 핏자국

밥

밥은 밥의 사랑을 말하지 않는다

한 끼 더운밥으로 뜨겁게 사랑하라

니체는 짜라투스트라를 버리고 널 보라했다

소리꾼

떠나온 파도가 무덤을 짓지 않듯

길 잃은 별 하나 이승으로 돌진한다

푸른 밤

목청 다친 새여

아득히

매화도 진다

죽음을 포기하는 한 가지 이유

죽는 일이 귀찮다
복잡하고 생각이 많다
보험을 들어야 하고
혼자죽기도 억울하다
날 두고
온갖 말들이
오고 갈 것이다

아무도 모르게
영문도 모른 채
어느 날 홀연히
사라질 순 없을까?
그렇다
버뮤다 삼각지대
그곳만이 답이다

그런데 어찌 가지?
배도 없고 돈도 없다

갈 길이 막막하다
삶이 쉽지 않듯
죽음도
이리 힘드니
모르겠다 잠이나 자자

2부

득음 得音

소리는 날고 싶다 들바람 둠벙 건너듯

휘몰이로 돌아서 강물의 정수리까지

아름찬 직소폭포의 북벽에 닿고 싶다

적벽강 채석강을 품어 안은 변산반도

북두성 견우성이 어우러져 통정하고

윤슬의 만경창파는 진양조로 잦아든다

결 고운 그대는 국창國唱이 되어라

깨진 툭바리처럼 설운 난 바람이 되어

한바탕 쑥대머리나 부르며 놀다 가리니

그날은 찾아올까 우화등선羽化登仙은 이뤄질까

가을빛 스러지면 어느새 입동 한기

노래는 구만리 가고 기러기는 장천 간다

새들을 위한 진혼굿

새들도 지치면 날개를 접는다
남도의 기러기들아 부패한 겨울이 온다
돌아갈 하늘을 잃은 그림자의 선회

언젠가부터 기러기는 부리가 얼어있다
나이테를 만들지 않는 홀로 선 나무처럼
새들도 몸을 부비며 깃들지 않는다

쇠벌늪 질날늪에도
안개만 자욱하다
오호이! 대동걸립
부푼 별짜의 난장
칼춤은
바람 가르고
북춤은 진혼한다

오래된 책상

처음 네가 왔을 땐 명쾌한 해답 같았다
턱 괴고 펜을 들면 달려오던 질문들
차가운 안경과 모자, 사각형의 단호함

폐를 다친 사내의 창백한 겨울은
주인 없는 서가를 맴돌다 떠나고
오늘은 서창의 해를 비스듬히 바라본다

닳은 것은 책상과 문턱만이 아니다
견고한 침묵처럼 덮어둔 일기장도
나약한 가슴을 찢고 떨쳐 나오지 못했다

그토록 간절했던 사랑은 무엇인가
녹슨 철학인가 위험한 사상인가
저만치 가장자리를 지킨 먼지의 시간이여

욕지행欲知行

사랑을 떠나온 날엔 욕지행 배를 탄다
갑판에 부딪히는 여우비와 구름들
눈물은 아니었으리 동백이 진 것일 뿐

아파서 더 아픈 이를 찾아가는 이른 봄
섬은 다가갈수록 자꾸만 뒤로 나앉고
바다는 말문 닫은 채 한사코 침묵한다

고물에 나가보면 아비규환의 갈매기들
쉼 없는 날갯짓으로 부리 곧추세우고
포말의 아우성처럼 먹을 것을 보챈다

그렇게 또 하루는 맹렬한 전장이다
날개를 접는 순간 생은 추락한다
오늘을 견디는 이에게 내일이 허락된다

유폐의 시간을 섬에서 구하지 마라
목젖이 다 젖도록 욕망은 격렬한 것
차라리 최후의 화살처럼 심연深淵으로 달려가자

콜럼버스

1492년
대륙은
신대륙이
되었다.

그는
위대한
탐험가이며
정복자였다.

아니다
노예상이며
무자비한
수탈자였다.

시인 2

한 수의 시를 썼다
세상이 놀랄 것이다
하지만 아무 일도
일어나지 않았다

그렇군
나의 나라에
백성은 나뿐이군

내가 나임을 인증받는

나는/은밀한가?/아니다/은밀하다/몇개의/비밀번호/
그렇군/인정한다/원하던/원하지 않던/은밀을/강요한다

인증서가 있습니까? 비번이 틀렸습니다
당신이 틀림없이 당신임을 인정받을
알맞은 숫자와 기호를 정확히 조합하세요

비밀의
문을 열면
다시
비밀의 문
치렁치렁
목에 건
무거운
열쇠꾸러미
그렇게
강요당하며
착하게
길들여진

머나먼 북극

북극곰은 뼈만 남은
고래를 먹습니다
나도 녀석처럼
여위어 갑니다
간밤엔
얼음성문이
사라지고 말았습니다

함안 악양루岳陽樓에서

강은 북으로 간다 휘도는 그 물굽이 여항산 발목 아래 부딪힌 강물은 아득히 가야를 지나 조선을 흘러왔다

밤의 누대에 올라 역류하는 강을 보라 역사 이리 유구한데 이름은 왜 구차히 동정호 절경 굽어보던 악양루를 빌어왔나

잠시 누상에 앉아 별들을 바라본다 뜨는 별이 제갈량이면 지는 별은 조맹덕인가 적벽강 쟁패 겨루던 영웅들도 자취없다

장강長江 적신 안개가 서해를 건너와 천천히 함안 벌 악양루에서 걷힌다 여름밤 달맞이꽃은 달그림자 마중한다

쇠똥구리가 소에게

저 풀밭이 너의 밥이고
네 똥이 나의 밥이다

똥덩이를 굴리며
한 생애를 보내지

이토록
삶은 눈물겹지
눈물 흘릴 틈도 없지

무용지물無用之物 1

– 공중전화 박스

작년엔 맹장수술,
어젠 사랑니 발치

십 원짜리 거스름돈이
자꾸만 성가시다

건너편
공중전화 박스는
비를 피하는 용도였지

무용지물無用之物 2

- 문구점에서

"선생님 아직도 원고지 쓰세요?"

"문득 생각난 김에 한 권 사보려고요."

"어디에 처박아 뒀는데 영 찾아지질 않네요."

무용지물無用之物 3

― 성선경 왈曰

"우리 책 제호는
하로동선夏爐冬扇으로 하지요."

여름을 견디는 하로,
겨울을 건너는 부채

그렇지, 꼭 우리시대
시인들 모습이군

침묵의 장례

제발 침묵으로 나의 남루와 작별해다오

갈가리 찢겨진 이름을 애써 파묻고

강물을 조금 길어다 흙 위에 뿌려주오

흔적 없이 울음도 없이 부디 잊혀 지길

무수한 발자국들이 나를 밟고 지나가길

그 위로 한 톨 씨앗도 돋아나지 않기를

이 표표한 작별을 축복하지 말아다오

여윈 입맞춤으로 애도하지 말아다오

고요히 시간의 켜에 묻히어 사라지리니

적벽부

늦은 밤 친구의 전화,

"적벽부가 떠올랐어!"

가을밤 그도 실은

술 생각이 난 것이리

술이야 왜 없겠냐만

못난 벗이 그리웠던 게지

3부

호모 폴리티쿠스

지구별에 깃들어 수백만 년을 살아왔다

노을은 언제나 다른 빛을 드리웠지만

우리는 죽어가면서도 영생을 꿈꾸었다

대지는 여위고 영웅은 차고 넘친다

신화 속 전쟁의 신은 끊임없이 부활하고

그동안 극락앵무와 도도새가 멸종했다

별똥별은 하늘로 돌아가지 못한다

돌려보낸 어제도 다시 오지 않는다

며칠 전 만난 친구의 장례식이 오늘이다

고사목古死木

올 가을 나무는 성장을 멈추었다 허리 고추 세워 하늘에 닿으려던 욕망을 갈무리하고 뼈대를 여미었다

천 년 전 씨앗 하나로 지상에 내렸을 때 표표히 떠도는 한 선비의 뒷모습도 황산벌 그 영웅들의 흙먼지도 보았다

왕조를 세운 이도 흥망을 불러온 이도 지금은 강토의 거름이 되었듯이 기왓장 한 조각에도 궁량한 사연은 있다

칼끝에 스치는 찰나의 섬광처럼 맹렬하고 고요했던 천년 생애를 건너 즈믄 해 목신의 날들을 다시금 헤어간다

요절 夭折

칠흑의 밤을 밝히는 이들에게 들려주리
촛불에게 약속에게, 부딪는 부싯돌에게
내 미처 이름 짓지 못한
한 순간의 섬광에게

눈물에 닿기 전에, 선잠이 깨기 전에
뿌리마저 태우고 쓰러지는 나목처럼
눈 감은 밀랍인형의
창백한 새벽처럼

내일은 저 홀로 달려오지 않는다
지친 이름이여, 짧은 몇 줄 시여
도저한 생을 할퀴고 간
상처의 흔적이여

어느 날 홀연히 개마고원에 들어

한 점 바람이 될까, 한 줌 빗물이 될까.

최치원 선생은 가야산 홍류동에 깃들어 신화가 되었다는데 나는 이 땅 어드메서 홀연히 사라질까. 문득 일진광풍에 자취 없이 떠난다면 산 첩첩 험한 준령, 운총강 압록강 철철 여울지는 함경도라 길주 명천 개마고원이 어떠할까. 깊디깊은 골째기엔 날래고 용맹한 백두산 호랭이도 있으리니, 그 녀석 가리어 줄 한 그루 도래솔이 되어볼까. 울창한 고삿길 우뚝한 장승 되어 팔자에 없는 천하대장군 복록이라도 누려볼까.

아서라,
세파에 찌든 몸을
입산이나 허하실까.

악어

오늘 권위 있는
문예지가 폐간 되었다
아무도 종말을 위해
술잔 들지 않는다
꽃보다
더 붉은 춘화에도
눈 붉히는 이는 없다

새장의 앵무새에겐
하늘이 필요 없다
담담히 돌아서라
폐경은 쉽게 온다
날 것의
붉은 외침도
건기의 늪도 없다

혼밥, 혼잠

혼자 먹는 저녁밥, 분필 씹는 소리가 난다

늦은 가을인가 이른 겨울인가

사위는 오래 어둡고 낙엽은 흩날렸어

가시 돋친 잎들은 혀끝에 돋아나고

가위 눌린 꿈들의 단단한 포승줄

내일은 이미 와 있어 앞질러 잔 혼자의 잠

짧다

산지 십년 넘은 비둘기표 스테플러

지겨워라 지금까지 삼분의 일도 못 썼네

참 짧다! 몇 천 원 짜리 침 한통보다 짧은 생

새벽 산책

석양의 총잡이는 차라리 낭만적이다
하지만 새벽의 난 무자비한 파괴자
영롱한 천상의 성을
처참히 무너뜨렸다

그 새벽 나의 진군은 지치도록 계속되었고
신비롭고 음흉한 비밀의 집은 사라져갔다
나비를 반쯤 뜯어먹은
거미의 혼비백산

박하향, 밤꽃향

어느 골목 지나다 옛 생각 떠올랐다
낯익은 냄새 따라 시간은 달려간다
어릴 적 오일장에서 처음만난 박하분

이상한 살 냄새 같은 게 느껴졌다
며칠 전 이사 온 목이 흰 가시내
골목을 스칠 때마다 뻗쳐오르던 야릇함

그때가 오월이었던가
꽃들이 지천이었던가
잠에서 깨었을 때
담요에 묻어나던
밤꽃향,
귀 빨개지던
박하향 같기도 한

강서대묘 江西大墓

무엇이 두려워 청룡은 눈을 뜨나
무엇을 열망하여 선인은 노를 젓나
네 이미 그런 까닭에 오늘이지 않은가

누천년 화두를 땅 속에 묻어둔 채 흙인 듯 돌인 듯,
죽은 듯 살아 있는 그 향기, 몰아의 고요가 새벽을 적
셔 온다

산을 보려거든 산을 넘어가라 하늘을 보려거든 하늘
을 건너가라 영원에 닿으려거든 찰나에 입 맞춰라

꽃은 바람에 지고
오늘은 내일에 진다
물살이
하염없으니
돌은 더 단단해 진다

어느 늙은 어부의 일생

나는 노 젓는 어부,
바다에서 나고 자랐다
마른 몸은 햇살에
데이고 지쳤지만
해역의
묵은 전설처럼
살다 죽고 싶었다

바다가 사라지는
두려운 꿈을 꾸었다
악몽은 계속되었다
헤어날 수 없었다
허공에
그물을 던져
파도를 건져 올렸다

흥건한 꿈에서 깨면
바다는 그대로였다

간혹 심장이
멎을 때도 있었지만
태풍에
놀라지 않는
노인이 되었다

고맙다 배보다 먼저
늙은 것이 축복이다
수리 되는 배보다
수리 되지 않는 몸
해풍이
절여진 몸을
풍장해 줄 것이다

(19금)옆집누에나방도촬

인터넷 카페에서 스치듯 만난 글
미묘한 떨림으로 곧바로 클릭 클릭!

이제 막
허물을 벗은
여린 나방
한 마리

떠돌이

바다를 떠도는 작은 섬이 있었다

그 섬을 떠도는 작은 배가 있었다

한 평생 그 배를 떠도는 고무신이 있었다

시조時調

혁명하라 길들여진 모든 것들에 대해

노래가 지루하다면 불속에 던져버려라

상상을 뒤엎는 상상, 그 불기둥에 입 맞춰라

죽순

비 온 뒤, 땅에다

발 묻고 서 있으면

무럭무럭 푸른 잎

푸른 생각 절로 돋는다

얼씨구! 고마운 봄비,

한 마디 더 자랐네

4부

연화열도蓮花列島 지나며

남으로 달려오던 소백은 허기져
욕지도 인근에서 그예 드러누웠다
열도의 지치고 지친 등뼈가 외롭다

벗이여 옹이 맺힌 노래를 어쩔거나
찢겨 우는 바람의 생채기를 어쩔거나
자욱한 해무 속에서 그만 줄을 놓아라

부질없는 약속과 이름을 지우고
바다에 곤두 박힌 유성처럼 아득히
욕망의 수첩에 적힌 별자리도 지워라

봄 간다 섬섬옥수, 썰물도 쓸려간다
절창의 가락 속에 꽃 진다 하염없이
심해에 닿을 수 없는 저 일몰의 낙화여

망연자실茫然自失

창선 가는 버스는 고장이 났는데, 만날 이도 못 만나고 빈손으로 되 오는데, 고깃배 탄다는 이가 자꾸만 말을 건다

요새는 바다도 예전만 못하단 둥, 뱃일할 사람이 줄어서 큰일이란 둥, 배운 게 도둑질이라 이러구 있다는 둥

궁시렁 궁시렁 하루해가 저무는데, 허기 진 금남호는 저 먼저 떠나는데, 한동안 개 한 마리와 우두커니 서 있는데

멀리서 핼쑥한 발전소 불빛이 날 위로 한답시고 마실을 나온다 하늘엔 비행기 한 마리 졸다 깨다 떠가는데

백중

백중날 여우비

오는 둥 마는 둥

건들 칠월 어정 팔월

벌써 여름 다 간다

어중띤

늙은 총각도

이리 빈둥 저리 빈둥

감은사지의 봄

깨어라 깨어나라며 봄비 낮게 내린다 천년의 침묵
속에서 속잎 트는 꼭두서니 연둣빛 여린 조금사리 피리
소리로 스민다

댓잎이 댓잎을 쳐 바람을 일으키고 물결이 물결을
쳐 산조의 현을 고른다 짐승들 노니는 소리, 바위에 금
가는 소리

산자와 돌이 된 자, 짐승과 꽃잎의 밤 누가 잠든 용
신을 불러와 희롱하는가 황동빛 태몽을 꾸며 바다를 잉
태한다

이마로 목덜미로 혼령으로 산맥으로 가쁜 숨을 불러
와 은비늘 적시는 시간 노래는 해동육룡의 어깨춤을 부
른다

삼수갑산三水甲山

떠나리라 떠나서
돌아오지 않으리라
온몸 칭칭 동여매고
삼수갑산 찾아가자
새들도
이 고갯마루에서
몸을 던질 때가 있다

꽃들은 왜 지나
바람은 왜 부나
철없고 철모르는
사랑은 그냥 두고
찾아도
찾을 길 없는
삼수갑산 찾아 가자

물

물은 겸손한가? 아니다 이기적이다 오로지 제 한 몸
온전히 건사키 위해 더 낮고 안온한 쉼터 찾아가는 길
이다

단디

한 유명 연예인의 비보가 전해진 날

문득 옛 어른들 말씀이 생각난다

산다고
다 산 게 아니니
단디해라
단디해

가라오케 C

연분홍 치마가 봄바람에 휘날리더라*

술 취한 노래가

비틀거리는 동안

저만치

봄날이 간다

낼 모레는 월세 날

*백설희의 노래 '봄날은 간다'에서

사진 개론

- 철거마을

다시 못 올 오늘에 렌즈를 맞추어라

구도심 낡은 황혼, 창녀들도 철거된다

개울 옆 재개발지역, 시린 똥개 한 마리

삐삐

서랍엔 삐삐란 놈이 오래 잠들어 있다
삐삐, 작은 새처럼 이름이 예쁘다했다
더 이상 진화는 없어
문명의 종착역이야

하지만 넌 이미 검정색 고전주의
바흐와 동시대의 연미복을 지키는
견고한 상상력이야
박제된 멸종화석

전세

쌔고 쌘 게 나무지만 뻐꾸기는 집이 없다

애옥살이 둥지도 제 손으로 짓지 못 한다

눈치껏 동 가식 서 가숙, 참 남의 일 같지 않네

외슬픔

그대여 외로운가? 맘껏 외로워하라

차오른 외슬픔* 죄다 게워내면

눈물에 씻긴 눈동자 비로소 명징하리니

*외슬픔 : 외롭고 슬프다는 뜻의 조어

생태학 교과서

지난 날 녀석은 분배를 청해왔다
목적은 종족보존 절체절명의 화두
그러나 난 그 간청을 단호히 거부했다

녀석의 애걸복걸이 마음에 걸렸지만
하룻밤의 단잠과 바꿀 수는 없었다
그리곤 온도가 다른 개체가 되고 말았다

저장고의 쪽문을 조금만 열었다면
피를 함께 나눈 동류가 되었다면
오늘날 생태학 교과서는 어떻게 바뀌었을까

갠지즈

갠지즈는 부른다 실로 언제부터였나?

너를 지나 바다를 지나
저 경외의 오체투지

그렇게
기어서라도
천축국에 닿고 싶다

경칩

지난 해 봄 소소리바람에
어린 매화 피다 말더니
올봄엔 고고성의
튀밥 피워 올렸다
꽃들의
와신상담이
찬란하고 갸륵하다

웨하스의 시간

혼자 먹는 저녁밥에선 웨하스 소리가 난다

갈망의 뿌리에서 극단에 이르기까지

사위는 오래 어둡고 질문은 계속되었어

가시 돋친 잎들은 혀끝에 돋아나고

가위 눌린 꿈들의 단단한 포승줄

어제는 아직 지지 않았어 그 여전함이 문제였지

기념관

시인,
바람 닮고
비 닮은
애인이여

헌 책방 먼지 묻은 서재를 지키는

오롯한
시집 한 권이
묵중한
기념관이다

발인發靷

아무도 울지 않았네 그저 그 꽃밭

바람, 바람에 쓸린 매화 한 잎의 낙화

저물녘 전화를 걸어줄 한 사람이 사라졌네

갈매기

갈매기 따라온다
셔터를 눌러라
깝치고 곤두박는 현란한 날개짓
아서라!
교감은 무슨,
관심은 오직
새우깡!

5부

군점

― 난중일기·11

어떤 배는 뒤에 서고 어떤 배는 앞에 선다

궁수는 위에 서고 격군은 밑에 선다

전쟁엔 큰 배와 작은 배, 다 제할 일 따로 있다

학익진법

― 난중일기·12

학익진은 감싸고 받들어 뫼시는 전술

팔 벌린 죽방 속에 멸치떼가 모이듯

황홀한 달무리 속엔 아비규환의 왜선들

콜레라

- 난중일기·13

포도는 단맛으로 포도순절葡萄旬節 고하지만 아직도 제 화기 주체치 못하는 철없는 백로의 태양, 급기야 탈이 났다

금년 소출 쏠쏠하단 낭보는 호사다마, 쌀뜨물 줄줄 흐르는 설사에 구토까지 강파른 민심의 주범, 호열자가 찾아왔다

횟집은 횟집대로 어물전은 어물전대로 와자지껄 야단법석 다 사라진 시장난전 통제영 추석 앞두고 이 무슨 황망한 난

은퇴隱退
– 난중일기·14

거침없던 엔진은 이곳에서 멈춘다
산처럼 쌓여진 컨테이너는 청춘의 꿈
고단한 강철의 하역도 역사에 묻는다

휘파람을 불어라 그리운 라스팔마스
나는 사랑을 잃고 누군 치통을 앓던
해변과 음악의 도시, 그 추억과도 작별이다

떠도는 개들은 낮술에 젖어 있다
고장 난 바람들이 수선을 기다리고
묵중한 시계탑 아래 시간이 앉아 존다

굵은 손금 속에 그려진 항해일지
한동안 나침반은 수평선을 겨냥하지만
도처에 바다는 있고, 어디에도 바다는 없다

썰물이 난 자리는 밀물이 채울 거라며
어설픈 눈빛으로 건네는 위로의 잔
허공의 절벽을 걷는 발길이 낯설다

초혼제

― 난중일기·15

꽃 지듯 돌아오고, 눈 지듯 떠났습니다.

북채 버리고 장구채도 내던지고

그 바위

그 목울대만

하염없이 젖어 갑니다.

연화도 蓮花島

– 난중일기·16

바다를 보았느냐 진정 섬을 보았느냐
난亂으로 만나는 그 바다 핏빛 섬 아닌
배 띄워 둥둥 노니는 연꽃섬을 보았느냐

오가는 달빛이며 밀썰물 새들 행렬
는개비에 젖은 바람, 요요한 물소리가
살육의 계책이 될 줄 내 어찌 알았으랴

달빛은 달빛으로 가락은 가락으로
투구갑옷 팽개치고 잘 익은 한 동이 술
꽃피고 꽃 지는 섬을 누려보고 싶었거니

기생청 용마루를 울리고 노는 여인아
수항루 벗어나면 나도 속된 사내인 걸
언제쯤 남녀유별 없이 연화도를 놀아볼까

군평선이

　그래, 좀 전 올린 생선 이름이 무엇인고? 본서방은
안 주고 새서방에게 준다하여 세간엔 새서방고기라 부
르기도 하더이다

　실하고 맛도 좋은데 이름이 좀 그러하다 수라간 평
선이가 잘 구워 올렸으니 고이헌 이름 대신에 '군평선
이'라 부르거라

객수客愁
− 난중일기·18

    순찰사 요 며칠 그루잠에 빠지고 귓가에 찬바람이 들명 날명 한다길래 통제영 의원을 불러 사유를 물었다

    병영 깃발이 까닭 없이 흔들리고 모두들 심란하여 괜스레 두런두런 색바람 호드기소리에 갈피를 잡지 못한다

    추석이 달포 앞으로 다가온 탓인가 군기가 헤진 그물처럼 위험 지경이다 객수에 내우외환內憂外患이니 이 누란을 어쩔거나

통영 말
– 난중일기·19

고향이 어딘가? 퇴영 토박입니더

통영은 토영으로, 어떨 땐 퇴영으로

굴은 꿀이라 하고, 굴공장은 꿀빠리라

'내가'를

극구 '나가'로…

통영 말 참 삼삼하네

활달한 서정과
심층적 전언의 우뚝한 범례
이달균의 시조 미학

유성호(문학평론가, 한양대학교 국문과 교수)

1. 고전적 위의를 세우려는 열망

이달균의 새로운 시조집 『열도列島의 등뼈』(작가, 2019)는 원숙한 시력詩歷에 접어든 시인의 견고한 언어적 매무새와 활달한 서정 그리고 심층적 전언의 세련성이 정점의 성취를 이룬 정형 시단의 돌올한 사례라고 할 수 있다. 시인은 이번 시조집에서 "늪에서 숲을 찾아도 좋고/숲에서 늪을 찾아도 좋다."(「자서」)라고 말함으로써 그동안 우리가 배타적으로 경계를 그었던 인식의 관행들을 상상적으로 무너뜨리는 깊고 둥근 원융무애의 사유를 보여준다. 일찍이 시조의 본령인 정형성을 충실하게 유지하기도 하고 확장시키기도 하는 탄력적 태도를 보여온 그는 이번 시조집에서도 삶의 본질적 형식과 비의秘義를 통해 주체와 대상이 적극적 관계를 형성하고 관철하는 복합성의 세계를 노래한다. 현대인의 꿈과 우수와 비극성을 담아냄으로써 현대시조의 확장에 앞장서고 있으며, 소멸되어가는 것들에 대한 지극한 연민으로 삶의 비극적 형식을 응시함으로써 현대시조의 심화에 기여하고 있기도 하다. 이러한 그의 시선과 역량은 이제 우리 시조시단의 우뚝한 범례範例로 기억할 만한 것이 아닐 수 없다.

두루 알다시피 시조를 포함한 서정시는 시인 자신의 실존적 고투를 핵심으로 삼는 일종의 고백 양식이다. 거기에는 한 시대의 주류적 힘과 대항하면서 독자적인 사유와 감각을 통해 새로운 질서를 구현해보려는 시인 자신의 오래된 열망이 담겨 있게 마련이다. 물론 여기서 상상적 질서란 전위적 실험주의자들이 견지하는 파격의 모험과는 거의 관계가 없다. 오히려 그것은 잃어버린 고전적 위의威儀를 새삼 세워보려는 역설의 열망과 닮아 있다. 이달균의 시조 미학은 이러한 고전적 사유와 감각을 통해 삶의 순간적 파악에 기초한 고백적 언어 예술로 완성되어간다. 특별히 이번 시조집은, 가파른 예술성 고양과 묵직한 현실 관조의 예각성을 강화하면서 그러한 순간이야말로 가장 오랜 시간의 흐름이 함축되어 있다는 것을 증언함으로써 우리 시조시단을 대표하는 사화집으로 남게 될 것이다.

2. 매서운 시선이 가닿은 미학적 절정

먼저 시인의 매서운 시선이 가닿은 미학적 절정을 들여다보자. 이달균 시인은 생의 단조로움을 벗어나 복합적인 겹의 속성을 깊이 인식하면서도 그것을 단호하고 힘찬 정신의 상승 과정으로 직조해가는 특유의 역동성을 보여준다. 이 점, 이달균의 미학적 수일秀逸함을 증명하는 호환할 수 없는 장처長處라고 할 수 있다. 시인은 좌고우면하거나 머뭇거리지 않고 자신의 시상을 직핍直逼의 힘으로 밀어간다. 유례를 찾아보기 힘든 역동성과 확장성이 강하게 느껴지는 이러한 성취를 두고 우리는 그가 생의 궁극을 향해 한 걸음씩 나아가고 있음을 깨닫게 된다. 이처럼 그는 삶의 궁극적 형상을 얻기 위해 자연 사물이 구성하는 풍경과 소리를 섬세하게 보여주고 들려준다. 그 풍경과 소리는 어느새 내면으로 번져가면서 삶의 이면을 넉넉하게 쓰다듬고 받아들이는 이달균 시인만의 품과 격으로 한껏 이어져간다.

그날은 늘 보던 태양이 아니었다
환청인 듯 들려오는 집시들의 광시곡
조용히
귀를 잘랐다

하늘이 흔들렸다

밀밭엔 까마귀와 불타는 측백나무
캔버스엔 흩뿌려진 물감이며 핏자국
가만히
나를 앉혀놓고
자화상을 그렸다
　　—「고흐 -자화상」 전문

　　원래 고흐는 렘브란트 다음으로 '자화상'을 많이 그린 화
가로 알려져 있다. 그 가운데 가장 유명한 자화상에는 스스
로 치명상을 입힌 자신의 모습이 담겨 있다. 붕대로 귀를
싸맨 자화상에는 아닌 게 아니라 고흐 특유의 열정과 광기
가 출렁인다. 소멸의 시간을 덧없이 응시하면서도 운명과
마지막 싸움을 벌이는 예술혼의 한 극점이 거기에 있다. 이
달균 시인은 전혀 다른 '태양'과 환청처럼 들려오는 '광시곡'
을 배음背音으로 삼으면서 처연한 광기와 열정의 한 예술가
를 작품 안으로 불러온다. 자신도 고흐처럼 '밀밭/까마귀/
측백나무'와 '캔버스/물감/핏자국'의 선연한 결속을 통해
"가만히/나를 앉혀놓고/자화상"을 그려보는 것이다. 지극
히 거칠면서도 원색적인 이미지들이 시인의 역동적 내면으
로 귀환하는 순간이 아닐 수 없다. 이처럼 이달균 시학에는

"칼끝에 스치는 찰나의 섬광처럼"(「고사목古死木」) 다가오는
원형적 언어가 농울치고 있다. 다음은 어떠한가.

소리는 날고 싶다 들바람 둠벙 건너듯

휘몰이로 돌아서 강물의 정수리까지

아름찬 직소폭포의 북벽에 닿고 싶다

적벽강 채석강을 품어 안은 변산반도

북두성 견우성이 어우러져 통정하고

윤슬의 만경창파는 진양조로 잦아든다

결 고운 그대는 국창國唱이 되어라

깨진 툭바리처럼 설운 난 바람이 되어

한바탕 쑥대머리나 부르며 놀다 가리니

그날은 찾아올까 우화등선羽化登仙은 이뤄질까

가을빛 스러지면 어느새 입동 한기

노래는 구만리 가고 기러기는 장천 간다

　　―「득음得音」 전문

'득음'이란 판소리 창자唱者가 성음을 얻어 자신의 역량을 완성한 상태를 일컫는다. 그것은 날고 싶었던 '소리'가 휘몰이로 돌아 강물과 폭포의 정점에까지 이른 것을 말한다. 그 자유롭고 아름찬 수직 상승의 '소리'는 그대로 이달균 언어 예술의 물리적 차원을 적극 함의하고 있다. 또한 그것은 "적벽강 채석강을 품어 안은 변산반도"에서 "북두성 견우성"의 통정과 "윤슬의 만경창파"가 진양조로 잦아드는 순간이기도 할 것이다. 그렇게 2인칭 '그대'는 결 고운 '국창'이 되고 1인칭 '나'는 "깨진 툭바리처럼 설운" 바람이 되어 함께 "한바탕 쑥대머리"를 부르면서 득음의 경지로 나아간다. 이때 득음의 과정은 시쓰기의 한 극점을 말하는 것일 터이다. 시인은 가을빛 스러지고 입동 한기 다가올 때 "노래는 구만리 가고 기러기는 장천" 날아가는 득음의 풍경을 욕망하면서 자신의 언어를 그 리듬에 맞추어 벼려간다. 원형적 역동성으로 그려낸 '자화상'과 한바탕 몰아친 '득음'의 경지는 이처럼 자연스럽게 이달균 시조 미학의 은유로 다가오고 있다. 비록 "푸른 밤//목청 다친 새"(「소리꾼」)일지라도 그는 "가슴으로 써내려간 한 권의 일기장"(「유품」)처럼 애잔하고도 아름다운 운명과도 같은 '시쓰기'의 어려움과 매혹을 함께 들려주는 것이다. 그렇게 시인의 매서운 시선이 가닿은 미학적 절정이 거기에 있다.

3. 시 혹은 시쓰기에 대한 깊은 자의식

이러한 치열한 자의식은 시인으로 하여금 '시' 혹은 '시쓰기'에 대한 메타적 탐구에 더욱 깊이 나서게끔 해주는 원동력이 된다. 가령 이달균의 독자적 사유 체계 안에서 '시인'이란 '말(언어)'의 사제司祭로 등장하는데, 이때 '시인'이 의식하고 표현하는 것은 사물 자체가 아니라 사물을 선택하고 구성해가는 '말(언어)'의 배열 체계이다. 그 점에서 '말'에 대한 깊은 자의식은 '시인' 됨의 일의적 조건이 된다. 이달균 시조를 이끌어온 중요한 힘 역시 이처럼 '말'의 심미적 배열 과정에서 솟구치는 에너지에 있었다고 할 수 있다. 그러한 힘을 통해 시인은 자기 탐구와 타자 지향의 기막힌 균형감각을 유지해올 수 있었을 것이다. 그리고 이달균 시학의 중심은 시인의 내면에서 상상적으로 선택되고 구성되는 '말'의 힘에 대한 경험으로 훌쩍 이월해간다. 다음 단시조들을 한번 읽어보자.

한 수의 시를 썼다
세상이 놀랄 것이다
하지만 아무 일도
일어나지 않았다

그렇군

나의 나라에
백성은 나뿐이군
 —「시인 2」 전문

혁명하라 길들여진 모든 것들에 대해
노래가 지루하다면 불속에 던져버려라
상상을 뒤엎는 상상, 그 불기둥에 입 맞춰라
 —「시조時調」 전문

 '시인'이라는 제목의 작품에서는 세상을 놀라게 할 "한
수의 시"가 아무 일도 일으키지 못했고 결국 "나의 나라에/
백성은 나뿐"이라는 쓸쓸한 자각에 이른 반면, '시조'라는
제목의 작품에서는 "길들여진 모든 것들"에 대한 혁명으로
서의 '노래'가 결국 "상상을 뒤엎는 상상"으로 불기둥에 입
을 맞추어야 함을 노래하고 있다. '시'가 견지하는 양극적
속성을 특유의 균형감각의 수평축 위에 놓은 것이다. 시인
은 이처럼 시조를 통해 새로운 혁명의 차원을 욕망하는 이
상주의자가 되기도 하고, 그것의 불가능성을 자신의 직접
적 경험과 심미적 언어로 담아내는 역설적 고전주의자가
되기도 한다. 세계와 자아 사이의 균열을 민감하게 포착하
면서도 실은 그것의 균형적 공존을 통해 삶의 궁극을 믿고
있는 것이다. 그 믿음의 맥락에 아마도 "생의 종점에서 또

한 생이 시작"(「별신굿과 수평선」)된다는 역설의 지혜가 깊이 숨겨져 있을 것이다.

시인,
바람 닮고
비 닮은
애인이여

헌 책방 먼지 묻은 서재를 지키는

오롯한
시집 한 권이
묵중한
기념관이다
— 「기념관」 전문

한편으로는 아름다운 혁명의 불길로 솟구치고 한편으로는 무력한 자신의 내면으로 가라앉는 '시인'은 결국 "바람 닮고/비 닮은/애인"과도 같이 "헌 책방 먼지 묻은 서재를 지키는" 시간의 흐름 속에 존재한다. 그 오랜 시간 속에서 "흙인 듯 돌인 듯, 죽은 듯 살아"(「강서대묘江西大墓」) 있는 것이다. 그러니 "오롯한/시집 한 권"은 비로소 "묵중한/기념관"으로 남아 시인을 아스라이 기념하게 될 것이다. 아니 어쩌면 오랜 시간이 흘러도 그 시집은 "유품은 더 이상 죽은 자의 것이"(「유품」) 아니고 "죽음이/끝이 아님을/일러주는"(「봄의 화원」) 항구적 표지標識로 남을 것이다.

이처럼 이달균 시학에서 우리가 읽어낼 수 있는 것은, 앞에서도 암시하였듯이, 자기 자신을 좀 더 근원적이고 궁극적인 자리로 밀어올리는 상상력이다. 다시 말하면 그것은 모든 사물의 소멸 과정을 안아들이면서 동시에 그것을 넘어서는 차원에 이르려는 의지를 말한다. 그렇게 그의 시편은 생의 근원과 궁극을 소망해간다. 이는 바슐라르G. Bachelard의 말을 빌리면, 언어 생성과 더불어 존재 생성이 동시에 이루어지는 과정을 시인이 지속적으로 추구한 결과일 것이다. 그 심미적 문양紋樣이 바로 그가 평생 아껴온 '시조'의 은유적 상관물인 셈이다.

4. 삶의 심층적 차원으로서의 시간 탐구

우리가 잘 알듯이, '시간'이란 우리의 삶 속에서 하나의 흐름으로 기억된다. 그러나 시간의 흐름은 그 자체로 객관적인 실재가 아니라 하나의 형상적 경험으로 다가온다. 다만 우리는 의식 안에서 그것을 분절하여, 과거에서 현재로 또 현재에서 미래로 흐른다는 형상적 은유를 활용할 뿐이다. 그러나 우리는 시간을 물리적 실재가 아닌 사후적 흔적을 통해 인지하게 되고, 그때 시간이란 저마다 다른 기억과 경험 속에서 재구성되는 상대적인 것이 될 수밖에 없다. '시'는 이러한 시간 경험을 형식화하는 양식적 본령을 가지는데, 혹여 물리적 시간을 초월하려는 것일지라도 그것조차 사실은 시간 자체에 대한 노래일 수밖에 없는 것이다. 이달균 시인은 이러한 시간의 흐름을 지속적으로 노래함으로써 그것을 시의 심층적 차원으로 개입시켜가고 있다.

가만히 들여다보니 돌에도 나이테가 있다

귀대고 들어보니 심장의 울림도 있다

선 채로 예불 소리에 가지런히 손을 모은다

그 어깨 빌려 앉은 귀뚜라미 한 마리

절간에 왔다고 스님 독경 소리 따라

나직이

반야바라밀

읊조리다 목이 쉰다

　　—「석등과 귀뚜라미」 전문

과연 "돌에도 나이테가" 있을까. 시인은 돌을 들여다보
니 나이테가 보이고, 돌에 귀를 기울여보니 "심장의 울림"
도 들린다고 한다. 그렇게 석등 곁에 선 채 가지런히 손을
모으고 "예불 소리"를 듣는 시인은, 귀뚜라미 한 마리가 스
님 독경 소리를 따라 "반야바라밀//읊조리다" 목이 쉬는 과
정까지 그려낸다. 이처럼 이 작품 안에는 여러 소리가 종횡
으로 웅얼거린다. "심장의 울림"이 있고, "예불 소리"와 "독
경 소리"가 흐르고, 귀뚜라미들의 목쉰 읊조림 소리까지 거
들고 있다. 이 '소리'들이야말로 언어로 탈바꿈되기 직전의
어떤 존재론적 원형일 것이며, 시인으로서는 그 소리의 흐
름 안에 오랜 시간의 집적이 있고 나아가 그것이 충일한 현
재형으로 떠오르는 것임을 증언해간다. "홀연히 시간의 꼬
리가 달아난 순간"(「낮꿈」)에 그 고요하고 아름답고 신성한
소리들을 듣는 시인의 품이 넓고 아득하게 다가온다.

    짐승도 산그늘도 다녀간 흔적 없는

    외로운 북향의 우물이 있습니다

    간간이 치열 어긋난 빗방울들만 찾아옵니다

    하늘이 적막하면 별에도 녹이 습니다

    곤궁한 못 자국처럼 부러지는 바람들

메마른 상상력의 샘을 가만히 바라봅니다.

—「잊혀진 우물」 전문

"북향의 우물"은 어떤 흔적도 없이 그저 "치열 어긋난 빗방울들"만 간간이 찾아오는 외따롭고 호젓한 존재이다. 오랜 시간 동안 짐승도 산그늘도 찾아오지 않아 그저 "하늘이 적막하면 별에도 녹이" 슬고 또 시간이 흐르면 바람도 "곤궁한 못 자국처럼" 부러져버릴 뿐이다. 외진 곳에서 차차 잊혀져가는 우물은 "메마른 상상력의 샘"처럼 불모의 시간이 오래 집적된 사물로 나타난다. "고요히 시간의 켜에 묻히어 사라지"(「침묵의 장례」)는 순간들이 거기 모여 있고 "저만치 가장자리를 지킨 먼지의 시간"(「오래된 책상」)들도 "치열 어긋난" 사이로 묵묵히 흐르고 있을 뿐이다. 결국 그 안에는 삶의 심층적 차원으로서의 시간이 흐르고 있는 것이다.

이처럼 우리는 '석등/귀뚜라미'의 소리와 '우물'의 적막이 모두 삶의 심층적 차원에 대한 비유적 상관물임을 알게 된다. 이러한 발견의 순간을 '시적 순간'이라고 명명할 수 있다면, 시의 중심 기능 가운데 하나는 이러한 순간을 통해 항구적으로 반복되는 사물들의 존재 방식에 대해 탐구하고 발견해가는 데 있을 것이다. 그래서 우리는 이달균 시학을 통해 오랜 기억 속에서 명료하게 되살리지 못했던 시간들

을 순간적으로 경험하면서, 인위적으로 그어놓은 경계를
지워가는 자유로움을 느끼게 된다. 그 자유로움이란 우리
가 상실한 생명의 속성이자 원리이기도 할 것이다. 그만큼
이달균 시학은 시간의 원리에 대한 독자적인 사유와 감각
으로써 우리가 느끼는 불모성과 상실감을 반성적으로 상상
하게끔 해준다.

5. 근원적 삶의 이법에 대한 역설의 균정

그런가 하면 이달균 시인은 이번 시조집에서 매우 근원
적이고 또 명징한 삶의 이법理法에 대해 노래한다. 그것은
시인이 내밀하게 견지해온 그만의 경험과 기억의 몫일 터
이다. 이러한 사례를 통해 우리는 시인의 상상력에 의해 재
구성된 작품 내적 목소리를 뚜렷하게 듣게 된다. 우리가 기
억이라고 부르는 것도 사실 시인의 마음에 남아 재구성된
미학적 흔적일 터인데, 시인은 의식 건너편에 있는 이러한
기억을 소환하면서 우리에게 그 세계를 상상적으로 경험시
켜준다. 그것이 바로 소멸해가는 가치들에 대한 매혹적이
고도 아득한 경험을 가져다주게 되는 것이다.

최후의 만찬인 양 저녁밥을 먹겠습니다

이 노을이 종말인 양 창가에 서겠습니다

내게 온 단 한 번의 시간이 너무나 거룩합니다

천천히 걸어가라고 내리는 안개비도

떠올리고 싶지 않은 그 지독한 편두통도

한 평생 지워지지 않을 주홍글씨도 감사합니다

　　　　　―「감사기도」 전문

　이 지극한 마음으로 드리는 '감사기도'는, 삶의 여러 조
건이 "최후의 만찬"이거나 "종말"에 가까울지라도 밥 열심
히 먹고 창가에 서보고 단 한 번의 시간을 거룩하게 맞아야
한다는 다짐을 담고 있다. 그때 '안개비'도 '편두통'도 '주홍
글씨'도 삶의 방해물만이 아니라 한평생 그저 감사할 목록
으로 몸을 바꾸게 된다. 여기서 시인은 삶의 양가성에 주목
하여 그 역리逆理를 강조하고 있다. 마치 콜럼버스도 한편
으로는 "위대한/탐험가이며/정복자"이고 한편으로는 "노
예상이며/무자비한/수탈자"(「콜럼버스」)이기도 하듯이, 삶
의 최량의 조건이나 신산한 여건들도 모두 어떤 긍정의 원
동력이 되기도 하고 온갖 지혜의 원천이 되기도 하는 것이
다. 그렇게 시인은 "찾아도/찾을 길 없는"(「삼수갑산三水甲
山」) 정신의 높이에 대한 갈망과 성취를 환하게 보여준다.

비를 뿌리고도 하늘은 그대로다

비에 얻어맞고도 바다는 그대로다

태풍이 몰아친 날의 무게는 얼마인가

전조등의 넓이만큼 낮을 늘여 보아도

두터운 밤의 폭은 줄어들지 않는다

구름이 내려앉아도 저울은 늘 수평이다

— 「평균율」 전문

　원래 '평균율'이란 비슷한 음정들을 나눈 음률音律의 체계
로서 한 옥타브를 똑같은 비율로 나누는 방식을 말한다. 여
기서는 '하늘'과 '바다'가 "태풍이 몰아친 날의 무게"를 등량
으로 나누어 가진 시간을 은유적으로 함의한다. 낮을 늘여
도 밤의 폭이 줄어들지 않듯이, 구름이 내려앉아도 늘 수평
으로 존재하는 '저울' 역시 세상의 평균율을 지탱하는 삶의
준거가 된다. 그러한 수평의 균형으로 시인은 "큰 배와 작
은 배, 다 제할 일 따로"(「군점 – 난중일기·11」) 있음을 알아
가고 "눈물에 씻긴 눈동자 비로소 명징"(「외슬픔」)해지는 역
설의 균정均整도 이루어간다.
　이처럼 삶의 궁극적 이치를 직관하고 해석하는 힘은 이

달균 시학의 깊이와 연관된다. 물론 시조는 소소한 인생 세목까지 담아내기에는 여러 모로 좁은 양식인데, 시인은 삶의 원리나 이치를 직관으로 포착하여 해석함으로써 새로운 사유의 지경을 암시하는 데 시조를 매우 충실한 양식으로 활용하고 있다. 물론 그 직관적 깨달음은 돈오頓悟에 가깝게 되어 깨달음의 구체는 생략되게 마련이다. 따라서 그러한 생략과 은폐를 통한 직관의 단호함이야말로 이달균 시조 미학이 가지는 촌철살인의 장치임을 우리는 목도하게 되는 것이다. 그 안에서 우리는 근원적 삶의 이법에 대한 역설의 균정을 한껏 경험하는 것이다.

6. 광활하고 깊고 은은한 스케일의 상상력

이제 이달균 시학은 공동체적 기억에 바탕을 둔 스케일 큰 열망을 투사投射하는 과정으로 나아간다. 우리는 이러한 시인의 언어와 조우하면서 생겨나는 창조적 흔적을 발견하면서, 시 안으로 들어가 언어와의 일체를 꿈꾸게 된다. 이처럼 그의 시는 우리의 일상에 편재遍在해 있는 불모성을 치유하고 새로운 소통의 가능성을 꿈꿀 수 있는 기능을 가져다주는 것이다. 그 가운데 그의 시편이 가장 열정적으로 가닿는 권역은 일종의 공동체적 감각이라고 할 수 있을 것이다. 우리는 교환가치가 지배하는 근대 자본주의의 일상을 살아가면서 망각하는 가치 가운데 우리가 살아왔고 지금도 그렇게 살고 있는 역사적, 생활적 구체성의 목록을 시조가 더욱 폭 넓게 담아내야 한다고 믿게 되는데, 이제 그 믿음의 실례로 이달균 시편을 지목하게 될 것이다. 그 점에서 오랫동안 개성적 표현 속에 사람살이의 구체성을 담아온 이달균 시인의 공동체적 감각은 첨예한 문학사적 사례가 되고도 남을 것이다.

한 점 바람이 될까, 한 줌 빗물이 될까.

최치원 선생은 가야산 홍류동에 깃들어 신화가 되었다는데 나는 이 땅 어드메서 홀연히 사라질까. 문득 일진광풍에 자취 없이 떠난다면 산 첩첩 험한 준령, 운총강 압록강 철철 여울지는 함경도라 길주 명천 개마고원이 어떠할까. 깊디깊은 골째기엔 날래고 용맹한 백두산 호랭이도 있으리니, 그 녀석 가리어 줄 한 그루 도래솔이 되어볼까. 울창한 고샅길 우뚝한 장승 되어 팔자에 없는 천하대장군 복록이라도 누려볼까.

아서라,
세파에 찌든 몸을
입산이나 허하실까.
—「어느 날 홀연히 개마고원에 들어」 전문

제4회 조운문학상 수상작이기도 한 이 시편은 자유를 열망하는 인간의 마음을 담은 사설시조로서, 일종의 신화적 상상력을 동원하여 우리 민족의 정서적 원형을 그려내고 있다. "한 점 바람"이나 "한 줌 빗물"이 되어 최치원 선생이 가야산 홍류동에 깃들어 신화가 된 자취를 따라 시인은 "이 땅 어드메서 홀연히 사라질까"를 생각한다. 순간적으로 홀연히 사라져 개마고원에 든다면 호랑이 가려줄 도래솔도 되고 울창한 고삿의 장승도 되고자 상상해보는 것이다. 그러나 "아서라,"라는 말에서 시상은 전환하여 "세파에 찌든 몸을/입산이나 허하실까."라는 대목에 이르러 그러한 지향의 불가능함과 함께 호환할 수 없는 자유로움에 대한 끝없는 동경이 함께 펼쳐진다. 시인은 그러한 신화적 세계에 대하여 "다시 못 올 오늘에 렌즈를"(「사진 개론 – 철거마을」) 맞추듯이 자신의 미학적 초점을 부여해간다. 스케일과 자재로움이 이달균 사설시조의 백미로 다가오는 명품이 아닐 수 없을 것이다.

남으로 달려오던 소백은 허기져
욕지도 인근에서 그예 드러누웠다
열도의 지치고 지친 등뼈가 외롭다

벗이여 옹이 맺힌 노래를 어쩔거나

찢겨 우는 바람의 생채기를 어쩔거나
자욱한 해무 속에서 그만 줄을 놓아라

부질없는 약속과 이름을 지우고
바다에 곤두 박힌 유성처럼 아득히
욕망의 수첩에 적힌 별자리도 지워라

봄 간다 섬섬옥수, 썰물도 쓸려간다
절창의 가락 속에 꽃 진다 하염없이
심해에 닿을 수 없는 저 일몰의 낙화여
—「연화열도蓮花列島 지나며」 전문

시조집 표제가 숨어 있는 이 시편은 구체적으로 통영시 욕지면의 연화도 주변 열도를 지나는 구체적 경험을 소재로 하고 있다. 그곳에서 시인은 호쾌하고 자유로운 기운을 맞고 또 흘려보낸다. "남으로 달려오던 소백"의 기운이 하강하면서 욕지도 인근에 누워버린 시간에 시인은 "열도의 지치고 지친 등뼈"를 바라본다. 그 외로운 등뼈가 마치 "옹이 맺힌 노래"처럼 "찢겨 우는 바람의 생채기"를 환기하고 있기 때문이다. 그러니 시인으로서는 "자욱한 해무"를 헤치며 "부질없는 약속과 이름"도 "욕망의 수첩"도 지워버리게 된다. "절창의 가락"을 보이는 열도에서 하염없이 지는 꽃을 바라보기도 하고, "심해에 닿을 수 없는 저 일몰의 낙화"를 바라보기도 하면서 하나 하나 구축해가는 그만의 공동체적 감각이 퍽 광활하고 깊고 은은한 스케일로 찾아온다.

7. '득음의 소리꾼' 이달균 시조의 미래

주지하듯 현대시조는 동일성의 원리에 압도적으로 기대고 있는 양식적 특징을 가지고 있다. 물론 이는 시조가 고전적 정형 양식이라는 점에서 쉽게 이해되는 대목이다. 하지만 이제 시조는 우리가 빈번히 발견할 수 있는 주체와 대상 사이의 균열에 눈을 돌림으로써 양식적 확장 의지를 숨기지 않는다. 물론 시조는 그럼에도 불구하고 정형 율격을 섬세하게 지키면서 다양한 삶의 양상을 반영하는, 즉 사람살이의 구체적 문제를 도입하여 근본 고민을 형상화하는 노력을 보여주어야 한다. 그만큼 현대시조는 시조가 가지는 형식적 제약을 지키면서도 다양한 현실적 고민을 담아내야 하는 과제와 결별하기 어렵다. 이달균의 시조 미학은 그동안 우리 정형시가 균형 있게 구축해온 이러한 세계에 창조적 권역을 덜고 보태면서 완성되어간다. 그 점에서 그가 써가는 정형 양식은 다양하기 그지없는 삶의 결과 깊이를 아울러 담아내고 있는 것이다.

결국 이달균 시인은 자신만의 사유와 감각을 구체적인

사물과 상황에 의탁하여 절실한 경험적 실감으로 노래하는 일관성을 보여준다. 그는 자신 주위에 존재하는 뭇 사물을 통해 직접적 비유 체계를 얻어내면서 보편적 삶의 이치를 노래해간다. 이처럼 사물에 대한 활달한 묘사를 통해 삶의 역동적 이법을 은유하는 그의 시조는, 우리가 보편적으로 겪었음직한 구체적이고 살아 있는 경험 체계를 선명하게 환기해준다. 더불어 그의 시조 한 편 한 편에 서린 정서의 실감이나 무게는 만만치 않은 개성을 담고 있는데, 그의 시 편이 생의 활력을 노래할 때에도 거기에는 매우 미세한 경험 맥락이 들어 있고, 지극한 그리움을 담아낼 때에도 거기에는 매우 구체적인 삶의 과정이 응집되어 있기 때문이다.

이제 우리는 이달균의 이번 시조집을 통해 '시'가 개인 경험의 산물이면서 가장 보편적인 삶의 이법을 노래하는 양식임을 거듭 경험하게 된다. 이렇게 완미한 작품집을 우리 정형시단에 상재하면서 자신만의 '득음'에 이른 우리 시대의 '소리꾼' 이달균이 다음에 가게 될 방향은 어디일까. 무수한 가능성이 숨겨져 있겠지만, 우리로서는 그 가운데 더욱 원숙해진 그의 서정과 인식이 그를 우뚝한 시사적 입상立像으로 만들어주기를 고대하고자 한다. 이후 세상에 나올 그의 언어들이 그러한 기대를 현실로 바꾸어주기를, 마음 깊이, 희원해보는 것이다.